# ЖИЛИ-БЫЛИ МАЛЫШИ

# Баю-
# БАЮШКИ-
# баю

## Стихи, колыбельные песенки

Художник В. Коркин

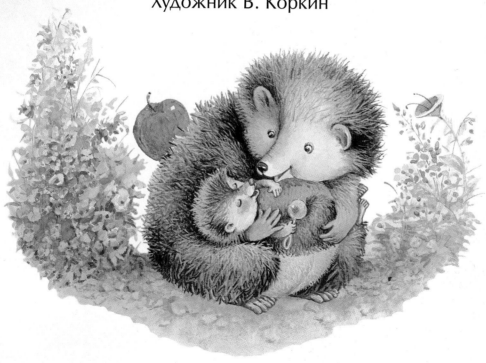

МОСКВА

РОСМЭН

2013

**\* \* \***

Котя, котинька, коток,
Котя – серенький хвосток.
Приди, котик, ночевать,
Мою деточку качать,
Прибаюкивать.
Уж как я тебе, коту,
За работу заплачу́:
Дам кусок пирога
Да кувшин молока.
Платок аленький свяжу,
Тебе шейку повяжу.
Шубку новую куплю
Да на беличьем меху.
Ещё котику-коту
Я сапожки сошью.
Поскорей приходи,
В гости Дрёму приводи.

\* \* \*

Баю-баю-баюшки,
Прискакали заюшки.
Люли-люли-люленьки,
Прилетали гуленьки.
Стали гули ворковать,
Будет детка крепко спать.
Поскорей глазки сомкни —
Спи, дитя моё, усни!

\* \* \*

Баю-баюшки-баю,
Баю деточку мою.
Буду доченьку качать
И на гусельках играть —
Моя доченька уснёт,
Сладкий сон её возьмёт.
Баю-баюшки-баю,
Баю деточку мою.

\* \* \*

Спи-усни, моя кровинка,
В люльке — мягкая перинка.
Ночь пришла — темным-темно.
Лишь луна глядит в окно.
Мой младенец будет спать,
А я буду напевать.

* * *

Идёт котик по лавочке,
Ведёт киску за лапочки.
Идёт котик по проулочку,
Ведёт киску на прогулочку.
Как у котика-кота
Была мачеха лиха,
Она ему
Приговаривала:
«Не ходи, воркот,
По чужим дворам.
Не качай, воркот,
Чужих детушек.
А приди домой
Ночевать,
Моего Мишутку
Качать!»

\* \* \*

Баю-баюшки-баю,
Не ложися на краю.
Придёт серенький волчок
И ухватит за бочок.
Он ухватит за бочок
И утащит во лесок
Под ракитовый кусток.

К нам, волчок, не ходи,
Мою детку не буди.
Баю-бай, баю-баю-бай.

* * *

Петушок, петушок,
Золотой гребешок,
Масляна головушка,
Шёлкова бородушка!
Что ты рано встаёшь,
Голосисто поёшь,
Голосисто поёшь,
Ване спать не даёшь?
Ты тогда его буди,
Когда солнце взойдёт,
Когда солнце взойдёт,
Роса наземь упадёт.

### * * *

У кота ли, у кота
Колыбелька золота.
У дитяти моего
Есть покраше его.

У кота ли, у кота
Периночка пухова.
У мово ли у дитяти
Да помягче его.

У котика, у кота
Изголовье высоко.
У дитяти моего
Да повыше его.

У кота ли, у кота
Одеялко хорошо.
У дитяти моего
Есть получше его.

У котика, у кота
Занавесочка чиста.
У мово ли у дитяти
Есть почище его.

Есть почище его
Да покраше его.

## Л. Чарская

# СЛАДКИЙ СОН

Кто там тихо-тихо бродит
Долгой ночью при луне,
Песнь неслышную заводит
В полунощной тишине?

Кто над детскою кроваткой
Притаился в этот час
И обвеял дрёмой сладкой
Пару милых сонных глаз?

Он невидим — гость прекрасный
И не слышен никогда,
Он войдёт всегда безгласный
И исчезнет без следа.

Лишь закроет крошка глазки,
Он уж подле тут как тут...
И пред ней, как в мире сказки,
Грёзы дивные плывут.

Их волшебник посылает,
Их развеет он потом...
Ведь недаром каждый знает:
Он зовётся сладким сном.

## В. Брюсов

## КОЛЫБЕЛЬНАЯ

Спи, мой мальчик! Птицы спят;
Накормили львицы львят;
Прислонясь к дубам, заснули
В роще робкие косули;
Дремлют рыбы под водой;
Почивает сом седой.

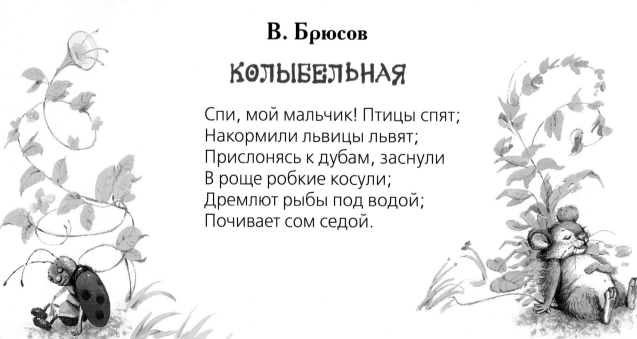

По ночам гулять готовы,
Рыщут, ищут, где украсть,
Разевают клюв и пасть.
Ты не бойся, здесь кроватка,
Спи, мой мальчик, мирно, сладко.

Спи, как рыбы, птицы, львы,
Как жучки в кустах травы,
Как в берлогах, норах, гнёздах
Звери, лёгшие на роздых...
Вой волков и крики сов,
Не тревожьте детских снов!

## Р. Кудашева

# КОЛЫБЕЛЬНАЯ ПЕСНЯ

Наступает ночка,
Время знаю я...
Спи, малютка-дочка,
Куколка моя!

Звёздочки в окошке
Чуть горят сквозь тьму...
Дай разую ножки,
Туфельки сниму.

Чуть мурлычет котик,
Хочет спать и сам...
Дай сниму капотик,
Кофточку подам.

Не видать Барбоски,
Сколько ни гляжу...
Дай тебе волоски
Ленточкой свяжу...

Птички спят, цветочки –
Все в глубоком сне...
Спи, малютка-дочка, –
Спать пора и мне!..

## А. Майков

# КОЛЫБЕЛЬНАЯ ПЕСНЯ

Спи, дитя моё, усни!
Сладкий сон к себе мани:
В няньки я тебе взяла
Ветер, солнце и орла.

Улетел орёл домой;
Солнце скрылось под водой;
Ветер, после трёх ночей,
Мчится к матери своей.

Ветра спрашивает мать:
«Где изволил пропадать?
Али звёзды воевал?
Али волны всё гонял?»

«Не гонял я волн морских,
Звёзд не трогал золотых;
Я дитя оберегал,
Колыбелечку качал!»

# Д. Минаев

## СПИ, ДИТЯ

Поздно. Свечка догорела...
Сладко до утра
Спи, дитя, закрывши глазки...
Спать давно пора.

В небе звёзды льют сиянье
Чище серебра...
Спи, дитя, закрывши глазки...
Спать давно пора.

# И. Бунин

## ЗВЁЗДНАЯ НОЧЬ

Звёзды на небе зажглись,
Час полночный недалёк...
«Звёзды на небе зажглись», —
Тихо шепчет ручеёк.

От травы и от цветов
Ароматы понеслись...
Ветер веет меж кустов:
«Звёзды на небе зажглись».

Ночь царит в немых полях,
И поля, и нивы спят, —
Звёзды в тёмных небесах
Тихий сон их сторожат...

21

## Г. Галина

# КОЛЫБЕЛЬНАЯ ПЕСНЯ

Котик песенку поёт
В уголке у печки…
Мой сыночек спать идёт,
Догорели свечки.

Котик песенку поёт,
Ждёт сынка кроватка!
Скоро мальчик мой уснёт
На кроватке сладко.

Ночка тёмная уйдёт;
Снова утро будет…
Котик песню допоёт,
Котик нас разбудит…

Выйдет солнышко опять,
В окна к нам заглянет…
И сыночек мой гулять
Собираться станет!

# А. Плещеев

### \* \* \*

Огни погасли в доме,
И всё затихло в нём;
В своих кроватках детки
Заснули сладким сном.

С небес далёких кротко
Глядит на них луна;
Вся комната сияньем
Её озарена.

Глядят из сада ветки
Берёз и тополей
И шепчут: «Охраняем
Мы тихий сон детей;

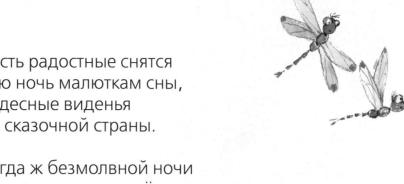

Пусть радостные снятся
Всю ночь малюткам сны,
Чудесные виденья
Из сказочной страны.

Когда ж безмолвной ночи
На смену день придёт,
Их грёзы песня птички
Весёлая прервёт...

Цветы, как братьям милым,
Привет пошлют им свой,
Головками кивая,
Блестящими росой...»

## М. Исаковский

# КОЛЫБЕЛЬНАЯ

Месяц над нашею крышею светит,
Вечер стоит у двора.
Маленьким птичкам и маленьким детям
Спать наступает пора.

Завтра проснёшься – и ясное солнце
Снова взойдёт над тобой...
Спи, мой воробышек, спи, мой сыночек,
Спи, мой звоночек родной.

Спи, моя крошка, мой птенчик пригожий,
Баюшки-баю-баю,
Пусть никакая печаль не тревожит
Детскую душу твою.

Ты не увидишь ни горя, ни муки,
Доли не встретишь лихой...
Спи, мой воробышек, спи, мой сыночек.
Спи, мой звоночек родной.

## В. Лебедев-Кумач

# СОН ПРИХОДИТ НА ПОРОГ

Сон приходит на порог.
Крепко-крепко спи ты.
Сто путей, сто дорог
Для тебя открыты.

Все на свете отдыхают:
Ветер затихает,
Небо спит, солнце спит,
И луна зевает.

Спи, сокровище моё,
Ты такой богатый:
Всё твоё, всё твоё —
Звёзды и закаты.

Завтра солнышко проснётся,
Снова к нам вернётся.
Молодой, золотой
Новый день начнётся.

Чтобы завтра рано встать
Солнышку навстречу,
Надо спать, крепко спать,
Милый человечек!

Спит зайчонок и мартышка,
Спит в берлоге мишка,
Дяди спят, тёти спят,
Спи и ты, малышка!

## З. Петрова

# СПЯТ УСТАЛЫЕ ИГРУШКИ

Спят усталые игрушки,
Книжки спят.
Одеяла и подушки
Ждут ребят.

Даже сказка спать ложится,
Чтобы ночью нам присниться,
Ты ей пожелай –
Баю-бай.

Обязательно по дому
В этот час
Тихо-тихо ходит дрёма
Возле нас.

За окошком всё темнее,
Утро ночи мудренее,
Глазки закрывай,
Баю-бай.

Баю-бай, должны все люди
Ночью спать.
Баю-баю, завтра будет
День опять.

За день мы устали очень,
Скажем всем – спокойной ночи.
Глазки закрывай,
Баю-бай.

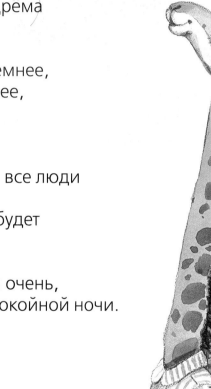

## Я. Аким

# ТИХАЯ ПЕСНЯ

Баю-баю-баиньки,
Спи, сыночек маленький.

Всё уснуло до зари.
Спят на ветках снегири.
Спят в озёрах утки,
Синенькие грудки.
Спят на небе облака,
Золочёные бока.

В тучу солнышко ушло –
На ночь в косы заплело
Чистые, лучистые
Нити золотистые.

В тихой речке видит сон
Старый сом, усатый сом…

Баю-баю-баиньки,
Засыпай, мой маленький.

## С. Свириденко

# КОЛЫБЕЛЬНАЯ

Спи, моя радость, усни!
В доме погасли огни,
Пчёлки затихли в саду,
Рыбки уснули в пруду.
Месяц на небе блестит,
Месяц в окошко глядит...
Глазки скорее сомкни,
Спи, моя радость, усни!
Усни, усни!

В доме всё стихло давно,
В погребе, в кухне темно,
Дверь ни одна не скрипит,
Мышка за печкою спит.
Кто-то вздохнул за стеной...
Что нам за дело, родной?
Глазки скорее сомкни,
Спи, моя радость, усни!
Усни, усни!

## М. Пожарова

# КОЛЫБЕЛЬНАЯ ПЕСЕНКА

Серый козлёнок,
Жёлтый утёнок.
Пёсик лохматый,
Котик усатый,
Ёжик-иглун,
Зайка-скакун, —
К нам приходите,
Сон приводите,
    Баю-баю
    Детку мою!
Встаньте, зверюшки,
Ближе к подушке:
Лапки рядком,
Хвостик с хвостом!
Сон посерёдке,
Тихий и кроткий.
    Баю-баю
    Детку мою!

## М. Бородицкая

# ПО СЕРЕБРЯНОЙ ДОРОЖКЕ

По серебряной дорожке
Поплывём с тобой во сне,
По серебряной дорожке
Приплывём с тобой к луне.

Скажет ясная луна:
«Я соскучилась одна.
У меня в прохладных залах
Голубая тишина.

Голубого молока
Дам для малого сынка,
А для мамы для усталой
У меня постель мягка».

Утром солнышко придёт,
Мёду крынку принесёт:
«Ешьте, гости дорогие,
Золотой горячий мёд!»

Мы отведаем по ложке
И по солнечной дорожке,
По дорожке золотой
Поплывём к себе домой.

## В. Степанов

# СОННЫЙ ЛЕС

Ласковой волною
Вечер накатил,
Жёлтою луною
Лес он осветил.

Постепенно птицы
Перестали петь.
Молча спать ложится
Под горой медведь.

Лёг у старой ели
Заяц на бочок.
Словно в колыбели
Спит в траве жучок.

Пьют лесные мышки
Перед сном росу.
И заснули шишки
Прямо на весу.

## В. Степанов

# КОЛЫБЕЛЬНАЯ

Спит давно
Усатый котик —
Баюшки-баю.
Закрывает лапкой ротик —
Баюшки-баю.
Спи и ты,
Мой голубочек, —
Баюшки-баю.
Мой коточек,
Мой сыночек,
Я тебя люблю.

# ХОДИТ ДРЁМА

По ночам, дили-дон,
Ходят дрёма  и сон.
Ходят, сказки говорят,
Баю-бай, нам спать велят.

Спят деревья за окном,
Спит пескарь на дне речном,
Спит Мишутка толстый,
Спит Петрушка пёстрый.

Даже куклы крепко спят,
Мышки тоже спать хотят.
Ты от них не отставай,
Быстро глазки закрывай.

Баю-баю, дили-дон,
Пусть тебе приснится сон.

## И. Пивоварова

# СТАРАЯ ЛЕСТНИЦА

— Старая лестница,
Что ж ты не спишь?
Что ты всё время
Скрипишь и скрипишь?

— Милый мой мальчик,
Когда же мне спать?
Надо людей
Провожать
И встречать,
Чтоб не устали,
Чтоб не упали,
Надо перила
Им подавать.

— Старая лестница,
Но, между прочим,
Люди не ходят
По лестницам
Ночью.
Так почему ж ты
Ночами не спишь?

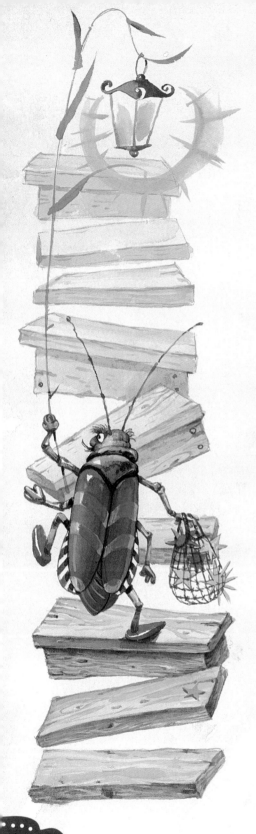

— А по ночам —
Ты поверь мне, малыш, —
То тяжелы,
То легки,
Словно дым,
Сны сюда входят
Один за другим.
Тихо под ними
Ступеньки
Поют...

Слышишь, мой мальчик?
Они уже тут.

## А. Усачёв

# ШУРШАЩАЯ ПЕСНЯ

Шуршат осенние кусты,
Шуршат на дереве листы.
Шуршит камыш,
И дождь шуршит,
И мышь, шурша,
В нору спешит.

А там тихо-онечко шуршат
Шесть шустрых маленьких мышат...

Но все вокруг возмущены:
— Как расшуршались шалуны!

Шуршат на малышей кусты.
Шуршат им с дерева листы.
Шуршит рассерженный камыш.
И дождь шуршит,
И мама-мышь —
Весь лес шуршит им:
— Шалуны,
Не нарушайте тишины!

Но их не слышат шесть мышат.
Давно мышата не шуршат.
Они легли пораньше спать,
Чтоб не мешать
        большим
            ШУРШАТЬ!

# СОДЕРЖАНИЕ

Литературно-художественное издание

ДЛЯ ЧТЕНИЯ ВЗРОСЛЫМИ ДЕТЯМ

Серия «Жили-были малыши»

# БАЮ-БАЮШКИ-БАЮ
СТИХИ, КОЛЫБЕЛЬНЫЕ ПЕСЕНКИ

Художник В. П. КОРКИН

Дизайн обложки Т. С. МУДРАК

Рисунок на обложке Л. ЕРЕМИНОЙ

Ответственный редактор Т. А. НИКОЛЬСКАЯ
Художественный редактор О. В. КУЛИКОВА
Технический редактор Н. С. КУЗНЕЦОВА
Корректор Л. А. ЛАЗАРЕВА
Верстка С. В. ПИМЕНОВОЙ

Подписано к печати 15.11.12. Формат 84×100$^1/_{16}$. Бумага мелованная.
Печать офсетная. Гарнитура «Фрисет».
Усл. печ. л. 4,68. ID 17228. Тираж 10 000 экз. Заказ № 8889.

ЗАО «РОСМЭН-ПРЕСС».
Почтовый адрес: 127018, Москва, ул. Октябрьская, д. 4, стр. 2. Тел.: (495) 933-71-30.
Юридический адрес: 129626, Москва, ул. Новоалексеевская, д. 16, стр. 7.

*Наши клиенты и оптовые покупатели могут оформить заказ,
получить опережающую информацию о планах выхода изданий
и перспективных проектах в Интернете по адресу:* **www.rosman.ru**

ОТДЕЛ ПРОДАЖ:
(495) 933-70-73; 933-71-30;
(495) 933-70-75 (факс).

Отпечатано с готовых файлов заказчика
в ОАО «Первая Образцовая типография»,
филиал «УЛЬЯНОВСКИЙ ДОМ ПЕЧАТИ»
432980, г. Ульяновск, ул. Гончарова, 14

Б12 **БАЮ-БАЮШКИ-БАЮ** : стихи, колыбельные песенки. — М. :
РОСМЭН-ПРЕСС, 2013. — 48 с. : ил. — (Жили-были малыши).

В книгу вошли русские народные потешки и колыбельные песенки, написанные классиками русской литературы и современными авторами.

ISBN 978-5-353-05748-2

УДК 821.161.1-82-1-93
ББК 84 (2Рус=Рос)